En safari

Gail Tuchman

Texte français de Marie-Josée Brière

Éditions
■ SCHOLASTIC

Pour Lauren, avec amour, pour ton « voyage ».
— G.T.

Catalogage avant publication de Bibliothèque et Archives Canada

Tuchman, Gail
[Safari. Français]
En safari / Gail Tuchman ; texte français de Marie-Josée Brière.

(National Geographic kids)
Traduction de : Safari.
ISBN 978-1-4431-3804-8 (couverture souple)

1. Animaux sauvages--Afrique--Ouvrages pour la jeunesse. 2. Safaris--Afrique--Ouvrages pour la jeunesse.
I. Titre. II. Titre : Safari. Français.

QL336.T8314 2014   j591.96   C2014-902312-X

Édition publiée par les Éditions Scholastic, 604, rue King Ouest, Toronto (Ontario) M5V 1E1 avec la permission de
National Geographic Society.

5 4 3 2 1   Imprimé au Canada 119   14 15 16 17 18

Crédits photographiques :

Page couverture : Beverly Joubert/NationalGeographicStock.com; 1, Panoramic Images/Getty Images; 2, Eric Isselée/Shutterstock; 3, Remi Benali/Corbis; 4-5, Remi
Benali/Corbis; 6, WorldFoto/Alamy/Alamy; 8-9, Karine Aigner/NationalGeographicStock.com; 11, Dave Hamman/Gallo Images/Getty Images; 12, Mitsuaki Iwago/
Minden Picture/NationalGeographicStock.com; 13 (en haut), James Warwick/The Image Bank/Getty Images; 13 (en bas, à gauche), D7INAMI7S/Shutterstock; 13
(en bas, à droite), Michael Nichols/NationalGeographicStock.com; 14-15, Panoramic Images/Getty Images; 16, Bobby Model/NationalGeographicStock.com; 19,
Mitsuaki Iwago/Minden Pictures; 20 (en haut, à droite), ZSSD/Minden Pictures; 20 (en bas, à gauche), D7INAMI7S/Shutterstock; 20 (en bas, à droite), Mitsuaki
Iwago/NationalGeographicStock.com; 20 (en haut, à droite), Suzi Eszterhas/Minden Pictures; 21 (à droite), Kletr/Shutterstock; 21 (à gauche), George F. Mobley/
NationalGeographicStock.com; 22-23, Martin Harvey/Foto Natura/Minden Pictures/NationalGeographicStock.com; 24, Norbert Rosing/NationalGeographicStock.
com; illustrations d'hippopotames : Dan Sipple

FSC
www.fsc.org

MIXTE
Papier issu de
sources responsables
FSC® C103113

10%

Bonjour! **Jamba!**

On y va?

Je m'en vais en safari.

Quels animaux seront mes amis?

Je vois des éléphants s'arroser. Je suis ravi.

Je vois des éléphants s'arroser.
J'aime le safari!

Je vois des lions jouer.
Je suis ravi.

Je vois des lions jouer.
J'aime le safari.

Je vois des rhinocéros
courir. Je suis ravi.

Je vois des rhinocéros
courir.
J'aime le safari!

J'ai vu des rhinocéros
courir, des lions jouer
et des éléphants s'arroser.

Que vais-je voir d'autre
en safari?

Je vois des girafes manger.
Je suis ravi.

Je vois des girafes manger.
J'aime le safari!

Je vois des zèbres
brouter. Je suis ravi.

Je vois des zèbres
brouter.
J'aime le safari!

Je vois des
hippopotames se
baigner. Je suis ravi.

Je vois des
hippopotames
se baigner.
J'aime le safari!

J'ai vu
des hippopotames
se baigner,
des zèbres brouter,
des girafes manger,
des rhinocéros courir,
des lions jouer et
des éléphants s'arroser.

Que vais-je voir d'autre en safari?

Plein d'animaux...

je suis ravi!